Enid Blyton™

Oui-Oui
et son âne

Illustrations de Jeanne Bazin

HACHETTE *Jeunesse*

Oui-Oui est un petit pantin très consciencieux. Il ne part jamais travailler sans laver sa jolie auto.

« Tu es la plus beau de tous les taxis. Plus je t'astique et plus tu brilles ! chantonne Oui-Oui.

– Tut ! Tut ! » répond le taxi, ravi.

« Oui-Oui, je te présente mon cousin Bruno, dit Bastien Bouboule, le fils du voisin. Il aimerait beaucoup monter dans ton taxi. Tu veux bien ?

– Je ne prête jamais mon auto ! dit Oui-Oui. Mais, pendant que je vais me laver les mains, je veux bien que vous montiez dedans. Mais interdiction de rouler, c'est compris ?

– Naturellement ! » répondent en chœur Bruno et Bastien.

Hélas, à peine installés, les deux oursons trouvent trop tentant de démarrer... Broum ! Broum ! Et Oui-Oui, alerté par le bruit du moteur, accourt pour voir filer sa chère auto. Quel malheur !

Dans la petite ville, au volant du taxi de Oui-Oui, Bruno sème la terreur. « Tut ! Tut ! » fait la voiture, furieuse. Le gendarme, occupé à régler la circulation, a failli se faire écraser !

« Nom d'une pipe ! s'écrie-t-il. C'était le taxi de Oui-Oui, mais Oui-Oui n'était pas au volant. Qui sont ces vilains chenapans ? »

Affolé, Oui-Oui court à travers les rues de Miniville. A un carrefour, il tombe sur Potiron venu lui apporter une sinistre nouvelle : « Il y a un accident près de chez moi, dit le nain. Les deux oursons n'ont rien, mais ta pauvre voiture... »

Oui-Oui, craignant le pire, éclate aussitôt en sanglots.

Quelle découverte ! Accompagné par son ami Potiron et par M. Polichinelle, le garagiste du Pays des Jouets, Oui-Oui arrive sur les lieux de l'accident. La voiture est très abîmée ! « Ma pauvre petite auto ! gémit le pantin.

— Ne t'en fais pas, Oui-Oui. Je vais la dépanner et la remettre entièrement à neuf ! » promet M. Polichinelle.

Rien de tel qu'un bon goûter pour se remettre en forme ! Chez Potiron, Oui-Oui se console avec un cacao et du pain d'épice. « Pour payer le garagiste, tu n'as qu'à louer une brouette et aider les gens à transporter leurs courses jusque chez eux ! dit Potiron.

– Quelle excellente idée ! » approuve Oui-Oui.

Dès le lendemain, Oui-Oui emprunte la brouette de M. Bouboule et se met au travail. Il porte les commissions de Léonie Laquille. C'est très lourd et son amie Mirou qui le voit tant peiner a bien pitié de lui.

« Pauvre Oui-Oui, il va se rendre malade ! pense-t-elle. Il est si petit et sa brouette est si grosse ! »

Le jour suivant, c'est Katie Kangourou qui réclame l'aide du pantin. « M. Noé m'envoie te demander d'aller chercher au marché la nourriture de tous les animaux de l'Arche ! » dit-elle. Et comme la brouette n'est pas assez grande, l'oncle de Mirou prête sa charrette à Oui-Oui.

Puis c'est au tour de Potiron de lui donner du travail : « Un paquet m'attend à la gare, dit-il. Peux-tu me l'apporter ? »

Pauvre Oui-Oui ! Il arrive chez Potiron si fatigué qu'il ne tient même plus sur ses jambes. Et il n'a même pas faim pour le goûter que Potiron lui a préparé ! D'ailleurs, à peine assis dans un fauteuil, il s'endort !

« Il travaille beaucoup trop ! se désole Potiron. Tout ça pour réparer les bêtises de ces coquins d'oursons ! C'est un cheval qu'il faudrait pour l'aider ! »

Voilà justement le marchand de casseroles qui arrive avec Hi-Han, son gentil petit âne. « Je suis venu te demander un service ! explique Sourdinet, le marchand. Je dois prendre le bateau pour rendre visite à ma tante. Or, Hi-Han a peur de l'eau. Pourrais-tu le garder pendant mon absence ?

– Quelle aubaine ! s'écrie aussitôt Potiron. Je suis sûr que ton âne sera très utile à mon ami Oui-Oui... »

Marché conclu ! Le marchand s'en va content et lorsque Oui-Oui se réveille, il saute au cou du joli petit âne. « C'est Sourdinet qui te le prête, explique Potiron. Grâce à lui, finies les corvées ! »

Le jour suivant, Oui-Oui est aux anges. A califourchon sur son âne, il parcourt toute la ville et rend service à tout le monde.

« Qu'est-ce encore que cette bête-là ? demande le gendarme, intrigué.

– C'est Hi-Han, le plus gentil des ânes ! » répond Oui-Oui.

Et Hi-Han s'empresse de secouer la tête pour saluer le gendarme.

Après le travail, tous les amis de Oui-Oui ont insisté pour venir voir son âne. Ils le caressent, ils le cajolent et Hi-Han est très content.

« Comme c'est rigolo ! » s'écrie Mirou lorsque Hi-Han tire les fleurs de son chapeau.

« Tu dormiras dans le garage ! » dit Oui-Oui à Hi-Han. Mais, à peine Oui-Oui a-t-il poussé la porte de sa maison-pour-soi-tout-seul, que l'âne s'élance à l'intérieur.

« Oh, ma petite chaise ! » se lamente Oui-Oui, après que l'âne a voulu s'asseoir dessus.

Décidément, un âne dans son salon, c'est encombrant !

Après un bon dîner et de belles carottes pour Hi-Han, Oui-Oui se met au lit. Et comme Hi-Han n'a pas la moindre envie de passer la nuit au garage, le petit pantin le laisse se coucher au pied de son lit.

« Maintenant, dormons ! Une longue journée nous attend ! dit Oui-Oui.

Et l'âne pose gentiment sa tête sur son oreiller.

Au matin, sur la route, Oui-Oui et Hi-Han tombent nez à nez avec Zim, le chien de Mirou.

« Ouah ! Ouah ! aboie Zim, très excité.

– Va-t'en ! » crie Oui-Oui.

Et l'âne, affolé, lance une ruade et part au grand galop.

« Monsieur le gendarme, aidez-moi ! » s'écrie Oui-Oui. Mais, avant que le gendarme ait pu faire quoi que ce soit, il s'est retrouvé par terre, assis sur son bicorne.

Mme Minouchette, Mlle Chatounette et Léonie Laquille s'empresse de ramasser les paquets tombés de la charrette.

« Ce chien est complètement fou ! s'écrie Oui-Oui, après l'accident. Il mérite une sacrée correction ! »

Pour se faire consoler, Zim fait le beau et regarde Oui-Oui avec de grands yeux tristes. « Bien, finit par dire Oui-Oui, je te pardonne ! »

Et Zim, soulagé, lui saute au cou et lui lèche la figure. Quel incorrigible farceur !

Après plusieurs jours de travail, Oui-Oui a gagné beaucoup de sous. et c'est tant mieux, car un matin, le marchand de casseroles revient de son voyage ! Quelle fête ! Hi-Han galope vers Sourdinet : il est si heureux qu'il manque de le renverser !

Puis l'âne s'en va sans même dire au revoir à Oui-Oui.

« Ce n'est pas mon taxi qui agirait ainsi ! » pense le petit pantin, tout chagrin.

Mais « Tut ! Tut ! », voilà justement le taxi qui descend l'allée du jardin.

« Ma chère petite voiture ! Quelle joie de te retrouver ! »

Vite ! Oui-Oui s'empare du volant, et les voilà partis à toute allure.

« Hourra ! Oui-Oui a retrouvé son auto ! » crient d'une même voix tous ses gentils voisins.

Imprimé en France par I.M.E. - 25110 Baume-les-Dames
Dépôt légal n° 58123 - mars 2005
22.46.3174.4/12
ISBN : 2.01.2231748
Loi n° 49-956 du 16 juillet 1949
sur les publications destinées à la jeunesse.